Inglés sin Barreras

El Video-Maestro de Inglés

9 Repaso de Vocabulario

Manual

Dedicatoria

Este curso está dedicado a todos los hispanos que han tomado la iniciativa de llevar el idioma inglés a sus vidas para expandir sus horizontes. Esperamos que disfruten de nuestras lecciones y empiecen pronto a hablar inglés. Los sueños pueden convertirse en realidad. Con gran respeto y afecto,

Sus Profesores

• •

Director	Phillip Schuman, Oscar Castagna
Sonido	Bill Weir
Asistente/Maquillaje	Selma Silva
Gráficos	Stuart Ellis, Ana Reyes
Asistentes de Proyecto	Andrea Englander, Trish Cisneros
Profesores	Joann Skliar, David Pinnell
	Dan Solliday
Actores	Jeannie Pledger, Bill Weir
	Cindy Haagens, Eliza Lewis
	Steve Halbert, Rhonda Aldrich
	Ed Sartori, Margaret Brant
Texto	Joann Skliar, María J. Kisic
	José Alpuche, Valeria Rico
Traducciones	María Vidal
Redactor Jefe	Aris Efthimides
Editor de Copia - Inglés	Sharon Jones, Donald Britton
Editor de Copia - Español	Dra. Acela Gutiérrez, Valeria Rico
Diseño Gráfico	Leena Hannonen/MACnetic Design
Productor Ejecutivo	José Luis Nazar

• •

Agradecimiento especial de los profesores a los estudiantes que participaron en la realización de Inglés Sin Barreras. Adondequiera que la vida les lleve, les deseamos que lleven un poco de nosotros con ustedes.

Conociéndonos
Manual

Indice

Introducción

El Concepto

H ay muchos aspectos involucrados en el aprendizaje de un nuevo idioma y uno de los más fundamentales es el de construir un vocabulario fuerte y funcional. Por esta razón se ha dedicado un volumen completo de Inglés Sin Barreras al estudio de las palabras y sus significados.

Oímos palabras nuevas todos los días en nuestra vida diaria y muchas veces podemos entender su significado por su contexto en la conversación o por indicios visuales. Sin embargo, al empezar a estudiar un nuevo idioma, uno puede sentirse inseguro de su propio juicio o intuición. Por lo tanto, este volumen se puede usar no solamente para aprender las palabras presentadas en el video, sino también para reforzar su habilidad para aprender palabras nuevas por su propia cuenta en la vida diaria.

El Video

La sección de vocabulario está dividida en nueve partes. Las primeras ocho partes corresponden directamente a los primeros ocho volúmenes de Inglés Sin Barreras. La novena parte es una carta que usa lo aprendido en las primeras ocho partes. No la hemos traducido en el video porque en este punto usted podrá entenderla sin traducción.

Todas las palabras y frases en las primeras ocho partes de su video están presentadas en cuatro formas diferentes:

1 en imágenes
2 pronunciadas en inglés
3 escritas en inglés
4 escritas en español

Las imágenes aprovechan su sentido visual. La pronunciación oral estimula sus facultades auditivas y el cerebro procesa la palabra escrita. Además, siguiendo las instrucciones cuidadosamente y repitiendo todo lo que escucha, añadirá el estímulo vocal.

El Manual

El manual también presenta todas las palabras y frases en inglés con sus traducciones al español. Usted puede usar el manual tantas veces como desee durante sus estudios para practicar lo que está aprendiendo y para reforzar su habilidad en la lectura y la escritura. Para practicar su retención y su escritura, cubra con un papel el lado en inglés de su manual y escriba las palabras de memoria junto a la traducción en español. Cuando haya terminado con una página, revise sus respuestas cuidadosamente usando la versión en inglés.

Para practicar la comprensión, cubra con un papel el lado en español y escriba su traducción al español junto a la versión en inglés. Verifique sus respuestas cuidadosamente. El manual funcionará como guía para todos sus estudios con el volumen de Vocabulario.

El Uso

Para mayor efectividad en sus estudios, le sugerimos que use la sección de vocabulario de la siguiente manera:

1   La primera vez, vea el video por completo sin detenerlo y sin referirse a su manual. Repita el inglés inmediatamente después de haberlo oído, tratando de imitar los sonidos exactamente como los oye en el video. Esto puede significar que usted no leerá lo que ve en pantalla, ya que en inglés generalmente las palabras no se pronuncian como se escriben. También preste atención al significado de las palabras, pero no se preocupe si no entiende cada una de ellas. Tampoco trate de memorizar todo de una vez. El construir un vocabulario fuerte es un proceso muy simple y natural que funciona mejor cuando usted está relajado y se divierte. Lo que sí debe hacer, sin embargo, es ver el video varias veces.

2 La segunda vez que vea el video, siga repitiendo en voz alta con aún más convicción todo lo que oye. Ahora puede detener y retroceder el video si no está seguro de algo, o si quiere volverlo a practicar. Esta vez debe asegurarse de entender el significado de las palabras, pero todavía no se preocupe por la lectura en inglés. Sólo concéntrese en las imágenes, la pronunciación de las palabras y sus significados.

3 La tercera vez puede leer su manual mientras ve el video, deteniéndolo cuando sea necesario. Puede hacer notas sobre la pronunciación o traducciones adicionales directamente en su manual. Ahora, también preste atención a la escritura en inglés. Como hemos mencionado, las palabras en inglés no siempre se pronuncian como se escriben, así es que no se confunda. Confíe en sus oídos y en lo que ha aprendido en sus prácticas de pronunciación.

4 Continúe viendo el video cuantas veces sea necesario hasta que pueda pronunciar correctamente, entender el significado y reconocer cómo se escriben todas las palabras en inglés.

Las Metas

Después de estudiar el vocabulario y cuando sienta que lo domina, reduzca el sonido del video completamente y diga las palabras y frases mientras ve las imágenes. Usted puede comprobar sus respuestas subiendo el sonido al ver en pantalla las palabras "Repita, por favor". Así sabrá que ha logrado conquistar esta sección.

Conociéndonos
Parte Uno

Antes de estudiar ésta o cualquier otra sección, por favor lea las instrucciones.

I'm angry *Estoy enojado(a)*

Welcome class	Bienvenidos alumnos
What is your name?	¿Cuál es su nombre?
	¿Cómo se llama?
Where are you from?	¿De dónde es usted?
How are you?	¿Cómo está usted?

I'm happy / *jápi* /	Estoy feliz
	Estoy contento(a)
I'm sad / *sad* /	Estoy triste
I'm angry / *ángri* /	Estoy enojado(a)
I'm scared / *skerd* /	Estoy asustado(a)
	Tengo miedo
I'm tired / *táierd* /	Estoy cansado(a)
I'm sick / *sic* /	Estoy enfermo(a)
I'm hot / *jot* /	Estoy caliente
	Tengo calor
I'm cold / *cold* /	Estoy frío
	Tengo frío
I'm hungry / *jóngri* /	Estoy hambriento
	Tengo hambre
I'm thirsty / *zérsti* /	Estoy sediento
	Tengo sed
I'm fine / *fáin* /	Estoy bien

HAPPY   SAD   ANGRY   SCARED   TIRED

SICK   HOT   COLD   HUNGRY   THIRSTY

What?	¿Qué?
What is? = What's?	¿Qué es?
Where?	¿Dónde?
How?	¿Cómo?

More Vocabulary — Más Vocabulario

name	nombre
name is = name's	nombre es, se llama

from	de
and	y
too	también

yes	sí
no	no

I	yo
you	tú, usted
my	mi, mis
your	tu, su, tus, sus

I am = I'm	soy, estoy
I am not = I'm not	no soy, no estoy
you are = you're	tú eres, estás
	usted es, está
you are not = you're not	tú no eres, no estás
you aren't	usted no es, no está

O.K.	bien, bueno
thank you	gracias
you're welcome	de nada

reading / leyendo

What are you doing?	¿Qué está haciendo?

Activities / **Actividades**

sitting / *síting* /	sentado(a)
sitting down / *síting dáun* /	sentándose
standing / *stánding* /	parado(a) (de pie)
standing up / *stánding ap* /	parándose (poniéndose de pie)
smiling / *smáiling* /	sonriendo
crying / *cráing* /	llorando
yawning / *ióning* /	bostezando
reading / *ríding* /	leyendo
writing / *ráiting* /	escribiendo
talking / *tóking* /	hablando
listening / *lísening* /	escuchando
listening to / *lísening tu* /	escuchando a

More Vocabulary / Más Vocabulario

Am I _____?	¿Estoy _____?
Are you _____?	¿Está usted _____?
Is he _____?	¿Está él _____?
Is she _____?	¿Está ella _____?
Are we _____?	¿Estamos _____?
Are they _____?	¿Están ellos(as)_____?

To be   ser o estar

I am = I'm   yo estoy
I am not = I'm not   yo no estoy

you are = you're   tú estás
you are not = you're not   tú no estás
         you aren't

he is = he's   él está
he is not = he's not   él no está
         he isn't

she is = she's   ella está
she is not = she's not   ella no está
         she isn't

we are = we're   nosotros estamos
we are not = we're not   nosotros no estamos
         we aren't

you are = you're   ustedes están
you are not = you're not   ustedes no están
         you aren't

they are = they're   ellos(as) están
they are not = they're not   ellos(as) no están
         they aren't

suit *trajé*

What are you wearing?   ¿Qué tiene puesto?
¿Qué lleva puesto?

clothing   vestuario, ropa

jacket / *cháket* /   chaqueta
hat / *jat* /   sombrero
tie / *tái* /   corbata
suit / *sut* /   traje
shirt / *shert* /   camisa
T-shirt / *ti-shert* /   camiseta
long sleeves / *long slivs* /   mangas largas
short sleeves / *short slivs* /   mangas cortas
coat / *cóut* /   saco, abrigo
blouse / *bláus* /   blusa
skirt / *skert* /   falda
sweater / *suéter* /   suéter
dress / *dres* /   vestido
nightgown / *náitgaun* /   camisón
watch / *uách* /   reloj de pulsera
bathing suit / *béizing sut* /   traje de baño
belt / *belt* /   cinturón
pants / *pants* /   pantalones
leather / *lézer* /   cuero

More Vocabulary   Más Vocabulario

necklace / *néclas* /   collar
vest / *vest* /   chaleco
sweater vest / *suéter vest* /   chaleco suéter

....

I am wearing _____ .   Tengo puesto(s) _____ .
You are wearing _____ .   Tiene puesto(s) _____ .
He is wearing _____ .   El tiene puesto(s) ___ .
She is wearing _____ .   Ella tiene puesto(s) _____ .
We are wearing _____ .   Tenemos puesto(s) _____ .
They are wearing _____ .   Tienen puesto(s)_____ .

13

skirt = falda

I am not wearing =
I'm not wearing _____ .   No tengo puesto(s) _____ .

You are not wearing =
You're not wearing _____ .   No tiene puesto(s) _____ .

He/She is not wearing =
He's/She's not wearing ___ .   El/Ella no tiene puesto(s)_ .

We are not wearing =
We aren't wearing _____ .   No tenemos puesto(s) ___ .

They are not wearing =
They aren't wearing _____ .   No tienen puesto(s) _____ .

· ·

What?   ¿Qué?
What is ____? = What's ____?   ¿Qué es?

What is this? =
What's this?   ¿Qué es esto?

Is this _____?   ¿Es esto _____ ?

· ·

This is _____ .   Este, ésta, esto es _____ .
This is not ____.=
This isn't _____.   Este, ésta, esto no es ___ .

En español todo es masculino (él) o femenino (la), pero en inglés sólo se le llama masculino (**he**) o femenino (**she**) a las personas o animales. Para las cosas, que no tienen género (sexó), se usa **it**. Note que a los animales también se les puede decir **it**. Para propósitos de este curso, traduciremos **it** como "ello".

It is = It's _____ .   Ello es ___ _____ .

It is not = It isn't _____ .   Ello no es _____ .

It's not _____ .

Antes de estudiar ésta o cualquier otra sección, por favor lea las instrucciones.

forehead   frente

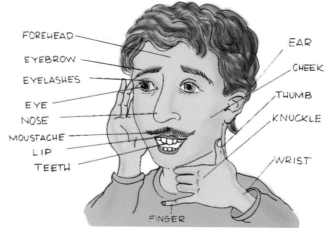

FOREHEAD
EYEBROW
EYELASHES
EYE
NOSE
MOUSTACHE
LIP
TEETH

EAR
CHEEK
THUMB
KNUCKLE
WRIST

FINGER

The Head	**La Cabeza**
face / *féis* /	cara
hair(s) / *jer* /	cabello(s), pelo(s)
ear(s) / *ier* /	oreja(s), oído(s)
forehead / *fórjed* /	frente
eyebrow(s) / *áibrau* /	ceja(s)
eyelash(es) / *áilash* /	pestaña(s)
eyelid(s) / *áilid* /	párpado(s)
eye(s) / *ái* /	ojo(s)
nose / *nóus* /	nariz
cheek(s) / *chik* /	mejilla(s)
mustache / *móstash* /	bigote
mouth / *máuz* /	boca
lip(s) / *lip* /	labio(s)
tooth / *tuz* /	diente
teeth / *tiz* /	dientes

tongue / *tong* /	lengua
chin / *chin* /	mentón, barbilla
beard / *bird* /	barba
jaw / *cho* /	mandíbula
neck / *nek* /	cuello

••

The Body	**El Cuerpo**
shoulder(s) / *shóulder* /	hombro(s)
back / *bak* /	espalda
waist / *uéist* /	cintura
arm(s) / *arm* /	brazo(s)
elbow(s) / *élbou* /	codo(s)
wrist(s) / *rist* /	muñeca(s)
hand(s) / *jand* /	mano(s)
knuckle(s) / *nókel* /	nudillo(s)
thumb(s) / *zom* /	pulgar(es)
finger(s) / *fínguer* /	dedo(s)
nail(s) / *néil* /	uña(s)
hip(s) / *jip* /	cadera(s)
leg(s) / *leg* /	pierna(s)
knee(s) / *ni* /	rodilla(s)
foot / *fut* /	pie
feet / *fit* /	pies
toe(s) / *tóu* /	dedo(s) del pie

••

Generalmente, para ir del singular (uno) al plural (más de uno) en inglés se añade una "s". Sin embargo, hay palabras en que el plural se forma de otro modo. Algunos ejemplos son: **child/children** (niño/niños), **foot/feet** (pie/pies), **half/halves** (mitad/mitades), **leaf/leaves** (hoja/hojas), **man/men** (hombre/hombres), **tooth/teeth** (diente/dientes) y **woman/women** (mujer/mujeres).

Hair Color · Color de Cabello

brown	castaño
black	negro
blonde/blond	rubio
red	rojo
gray	gris

curly · rizado

Hair Type · Tipo de Cabello

curly	rizado
straight	lacio, liso
wavy	ondulado
long	largo
short	corto
medium	mediano

Eye Color · Color de los Ojos

brown	castaños
blue	azules
green	verdes
gray	grises

More Vocabulary — Más Vocabulario

is	es, está
is not = isn't	no es, no está
are	son, están
are not = aren't	no son, no están

··

What is? = What's __?	¿Qué es _____ ?
What are _____?	¿Qué son _____ ?

Is this _____?	¿Es esto _____ ?
Is that _____?	¿Es eso _____ ?
Are these __?	¿Son éstos _____ ?
Are those ____?	¿Son ésos _____ ?

··

This is	Este/ésta/esto es
That is = That's	Eso/ése/ésa es
These are	Estos/éstas son
Those are	Esos/ésas son

I have	yo tengo
you have	tú tienes, usted tiene
he has	él tiene
she has	ella tiene
it has	ello tiene
we have	nosotros tenemos
you have	ustedes tienen
they have	ellos tienen

my	mi, mis
your	tu, tus, su, sus
his	su, sus (de él)
her	su, sus (de ella)
hers	suyo(a) (de ella)

· ·

El verbo **to do** significa "hacer" y se conjuga así:

I do	Yo hago
You do	Tú haces
He does	El hace
She does	Ella hace
It does	Ello hace
We do	Nosotros hacemos
You do	Ustedes hacen
They do	Ellos/ellas hacen

· ·

El verbo **to do** se utiliza además como verbo auxiliar y en esos casos no significa nada. Se usa para hacer preguntas y para formar el negativo, no para el afirmativo:

Pregunta: **Does she have a car?** (¿Tiene ella un auto?)
Negativo: **No, she doesn't have a car.** (No, ella no tiene un auto.)
Afirmativo: **Yes, she has a car.** (Sí, ella tiene un auto.)

Como usted notará, se dice **Does she have** aunque la forma correcta con **she** debería ser **has**. Esto es porque en inglés, igual que en español, cuando hay dos verbos juntos se conjuga el primer verbo y no el segundo. Cuando usted dice en español "puedes ir" o "quiero hablar" usted conjuga el primer verbo ("puedes" y "quiero") y no el segundo ("ir" y "hablar"). Estos quedan en la forma básica. Por eso se dice **Does she have** y nunca **Does she has**.

Do you have _____?	¿Tienes tú? ¿Tiene usted ____?
He/she doesn't have	El/Ella no tiene
Does he/she have ___?	¿Tiene él/ella ____?
I don't have	Yo no tengo
You don't have	Tú no tienes, usted no tiene
They don't have	Ellos no tienen, ellas no tienen
Do they have _____?	¿Tienen ellos ____?

El negativo de **do** es **do not** o **don't** y el negativo de **does** es **does not** o **doesn't**.

....

El apóstrofe (') en inglés tiene dos usos:
1. Contracción: como en **I'm** en vez de **I am;** y
2. Posesión: como en **Juan's house** (la casa de Juan).

7

seven
siete

How much?	¿Cuánto es?

Numbers / **Números**

zero = "oh" / *síro* /	cero
one / *uán* /	uno
two / *tu* /	dos
three / *zri* /	tres
four / *for* /	cuatro
five / *fáiv* /	cinco
six / *six* /	seis
seven / *séven* /	siete
eight / *éit* /	ocho
nine / *náin* /	nueve
ten / *ten* /	diez

eleven / *iléven* /	once
twelve / *tuélv* /	doce
thirteen / *zértin* /	trece
fourteen / *fórtin* /	catorce
fifteen / *fíftin* /	quince
sixteen / *síxtin* /	dieciséis
seventeen / *séventin* /	diecisiete
eighteen / *éitin* /	dieciocho
nineteen / *náintin* /	diecinueve
twenty / *tuénti* /	veinte

thirty / *zérti* /	treinta
forty / *fórti* /	cuarenta

fifty / *fifti* /	cincuenta
sixty / *sixti* /	sesenta
seventy / *séventi* /	setenta
eighty / *éiti* /	ochenta
ninety / *náinti* /	noventa

one hundred / *jóndred* /	cien
two hundred	doscientos
three hundred	trescientos
four hundred	cuatrocientos
five hundred	quinientos
six hundred	seiscientos
seven hundred	setecientos
eight hundred	ochocientos
nine hundred	novecientos

one thousand / *záusand* /	mil

··

Money — Dinero

dollar *dólar*

dollar / *dólar* /	dólar
quarter / *cuórter* /	moneda de 25 centavos (un cuarto de dólar)
dime / *dáim* /	moneda de 10 centavos
nickel / *níkel* /	moneda de 5 centavos
penny / *péni* /	moneda de 1 centavo

100

one hundred
cien

More Vocabulary   Más Vocabulario

What is _____ ?	¿Qué es _____ ?
How many _____ ?	¿Cuántos _____ ?
How many __ are there?	¿Cuántos _____ hay?
Can you tell me _____ ?	¿Puede decirme _____?
There are_____ .	Hay _____ .

....

I have _____ .	Yo tengo_____ .
You have ____ .	Tú tienes, usted tiene,
	ustedes tienen ___ .
He has _____ .	El tiene _____ .
She has _____ .	Ella tiene _____ .

....

your	tu, tus, su, sus
my	mi, mis
his	su, sus (de él)
her	su, sus (de ella)
hers	suyo(a) (de ella)

....

telephone number	número de teléfono
in	en
cent	centavo

in the morning
en la mañana

What time is it?	¿Qué hora es?

What time?	¿A qué hora?
When?	¿Cuándo?
time	tiempo, hora

morning = a.m.	mañana
afternoon = p.m.	tarde
evening = p.m.	tarde, noche
night = p.m.	noche
midnight	medianoche
noon	mediodía

in the morning	en la mañana
in the afternoon	en la tarde
in the evening	en la tarde
at night	en la noche

It is = It's	Es la, Son las
_____ o'clock	_____ en punto

_____ thirty	_____ y treinta
half past _____	_____ y media
quarter to _____	un cuarto para __
quarter after/past __	_____ y cuarto
_____ to _____	__ para __
_____ after _____	____ y ____
at _____	a la, a las _____

seconds	segundos
minutes	minutos
hours	horas

breakfast	desayuno
lunch	almuerzo
dinner	cena, comida

More Vocabulary — Más Vocabulario

Do I have _____?	¿Tengo _____?
Do you have _____?	¿Tienes tú, tiene usted, tienen ustedes _____?
Does he/she have _____?	¿Tiene él/ella _____?

I have_____.	Yo tengo _____ .
You have _____.	Tú tienes, usted tiene __.
He/She has _____.	El/Ella tiene _____ .

lunch   almuerzo

What time do you _____**?**	¿A qué hora (se) __ usted?
What time do I _____**?**	¿A qué hora (me) _____?
What time does	¿A qué hora (se) _____
he/she _____**?**	él/ella?

I get up.	Yo me levanto.
You get up.	Usted se levanta.
He/She gets up.	El/Ella se levanta.

I go to bed.	Yo me acuesto.
You go to bed.	Usted se acuesta.
He/She goes to bed.	El/Ella se acuesta.

I eat.	Yo como.
You eat.	Usted come, tú comes.
He/She eats.	El/Ella come.

one	uno, una (hora)
two	dos
three	tres
four	cuatro
five	cinco
six	seis
seven	siete
eight	ocho
nine	nueve
ten	diez

eleven	once
twelve	doce
fifteen	quince
twenty	veinte
twenty-five	veinticinco
thirty	treinta
thirty-five	treinta y cinco
forty	cuarenta
forty-five	cuarenta y cinco
fifty	cincuenta
fifty-five	cincuenta y cinco

did	pasado de **to do**
Did you say _____ ?	¿Dijo usted _____ ?
I don't know	no sé
excuse me	discúlpeme
supper	cena
eat/have supper	cenar

**Antes de estudiar ésta o
cualquier otra sección,
por favor lea las instrucciones .**

What do you live in?
¿En qué vive?

Where do you live?	¿Dónde vive?
What do you live in?	¿En qué vive?
What do you do at home?	¿Qué hace en casa?

Do you live in_____ ?	¿Vive usted en_____?
I live _____.	Yo vivo_____.
You live _____.	Usted vive, tú vives __ .

in a city	en una ciudad
in a town	en un pueblo
in the country	en el campo
in the mountains	en las montañas
on a farm	en una granja, finca
at the beach	en la playa

a house	una casa
an apartment building	un edificio de apartamentos
a trailer	una casa rodante

| a tent | una tienda de campaña, una carpa |
| a hotel | un hotel |

(to) do	hacer
(to) eat	comer
(to) cook (food)	cocinar (comida)
(to) watch (TV)	mirar (TV)
(to) shower	ducharse
(to) read (a book)	leer (un libro)
(to) sleep	dormir

| **More Vocabulary** | Más Vocabulario |

| a rooming house | un hospedaje, pensión |

a	un, uno, una (frente a consonante)
an	un, uno, una (frente a vocal)
the	el, la
in*	en, adentro
on*	en, encima
at*	en (at home / en casa)
	a (look at / mira a)

* Recordar sus usos a medida que los escucha. No hay reglas que apliquen siempre.

I do	Lo hago
I do not = I don't	No lo hago
Do you have?	¿Tiene? ¿Tienes?

···

| at home | en casa |
| in the house | en la casa |

a house   *una casa*

Para compartir con los niños...

What did the digital clock say to his mom as he rode his bike?
"Look, Ma, no hands."

¿Qué le dijo el reloj digital a su madre mientras montaba bicicleta?
"Mira, mami, sin manos".

ja ja ja

hands= manos, pero relativo al reloj significa manecillas

What do you live in?
¿En qué vive?

Housework

Labores del Hogar, Trabajo Doméstico

What are they doing?	¿Qué están haciendo?
drying plates	secando los platos
washing plates	lavando los platos
polishing furniture	lustrando los muebles
vacuuming the carpet/rug	pasando la aspiradora por la alfombra
sweeping the floor	barriendo el piso
mopping the floor	trapeando el piso
washing the windows	lavando las ventanas
making the bed	haciendo la cama
cleaning the refrigerator	limpiando el refrigerador
cleaning the oven	limpiando el horno
folding the clothes	doblando la ropa
ironing the clothes	planchando la ropa

I	yo
I am	estoy
I am not = I'm not	no estoy
he	él
he is = he's	él está
he is not = he isn't	él no está

she	ella
she is = she's	ella está
she is not = she isn't	ella no está

More Vocabulary / Más Vocabulario

they	ellos/ellas
they are = they're	ellos/ellas están
they are not = they aren't	ellos/ellas no están

What?	¿Qué?
What is ___? = What's ___?	¿Qué está _____?
What are _____?	¿Qué están _____?

Is he _____?	¿Está él _____?
Is she _____?	¿Está ella _____?
Are they _____?	¿Están ellos/ellas ____?
Are you _____?	¿Estás, está _____?

fire station
estación de bomberos

The Neighborhood	El Vecindario
neighbor	vecino

What is = What's ___?	¿Qué está/es_____?
Where is = Where's__?	¿Dónde está/es____?

avenue (Ave.)	avenida
street (St.)	calle
boulevard (Blvd.)	bulevar

north (N)	norte
south (S)	sur
east (E)	este
west (W)	oeste

bank	banco
school	escuela
fire station	estación de bomberos
supermarket	supermercado
gas station	gasolinera
fruit store	frutería, puesto de frutas

public library	biblioteca pública
police department	departamento de policía
post office	oficina de correos
church	iglesia
bus station	estación de autobuses
lake	lago
park	parque
shopping mall	centro comercial
store	tienda

···

close to	cerca de
near	cerca (de)
far from	lejos de
on	en
in	en
to	a, al

More Vocabulary — Más Vocabulario

first (1st)	primero(a)
second (2nd)	segundo(a)
third (3rd)	tercero(a)
fourth (4th)	cuarto(a)
fifth (5th)	quinto(a)
sixth (6th)	sexto(a)
seventh (7th)	séptimo(a)
eighth (8th)	octavo(a)
ninth (9th)	noveno(a)
tenth (10th)	décimo(a)

fruit store
frutería, puesto de frutas

It is = It's	Ello es
It is not = It's not	Ello no es

....

I need _____. Necesito _____ .
Go to _____. Vaya a_____ .

There is = There's __. Hay_____.

....

to buy	comprar
to cash	cobrar en efectivo
to mail	enviar por correo
to learn	aprender
to rest	descansar

....

policeman	policía
book	libro
milk	leche
bread	pan
meat	carne

El Calendario y Las Estaciones
Parte Uno

Antes de estudiar ésta o cualquier otra sección, por favor lea las instrucciones.

What's today?	¿Qué día es hoy?
What's the date?	¿En qué fecha estamos?
What is today's date?	¿En qué fecha estamos hoy?

....

calendar	calendario
days	días
dates	fechas
weeks	semanas
months	meses
years	años

....

today is	hoy es
yesterday was	ayer fue
tomorrow will be	mañana será

....

Monday / *móndei* /	lunes
Tuesday / *tiúsdei* /	martes
Wednesday / *uénsdei* /	miércoles
Thursday / *zérsdei* /	jueves
Friday / *fráidei* /	viernes
Saturday / *sáterdei* /	sábado
Sunday / *sóndei* /	domingo

tenth   *décimo (a)*

January / *chániueri* /	enero
February / *fébrueri* /	febrero
March / *march* /	marzo
April / *éipril* /	abril
May / *méi* /	mayo
June / *chun* /	junio
July / *chulái* /	julio
August / *ógost* /	agosto
September / *septémber* /	septiembre
October / *octóber* /	octubre
November / *novémber* /	noviembre
December / *dicémber* /	diciembre

• •

first	primero(a)
second	segundo(a)
third	tercero(a)
fourth	cuarto(a)
fifth	quinto(a)
sixth	sexto(a)
seventh	séptimo(a)
eighth	octavo(a)
ninth	noveno(a)
tenth	décimo(a)
eleventh	undécimo
twelfth	duodécimo
thirteenth	decimotercero
fourteenth	decimocuarto
fifteenth	decimoquinto
sixteenth	decimosexto
seventeenth	decimoséptimo

eighteenth	decimoctavo
nineteenth	decimonoveno
twentieth	vigésimo
twenty-first	vigésimo primero
twenty-second	vigésimo segundo
twenty-third	vigésimo tercero
twenty-fourth	vigésimo cuarto
twenty-fifth	vigésimo quinto
twenty-sixth	vigésimo sexto
twenty-seventh	vigésimo séptimo
twenty-eighth	vigésimo octavo
twenty-ninth	vigésimo noveno
thirtieth	trigésimo
thirty-first	trigésimo primero

More Vocabulary — Más Vocabulario

it is = it's	ello es
it is not = it isn't = it's not	ello no es
is	es
is not = isn't	no es
was	fue
was not = wasn't	no fue

Hay dos formas fáciles para formar el futuro en inglés:

1. **will** o **shall**: ponga **will** o **shall** antes del verbo, cambiando al infinitivo: **He eats** (él come), **he will eat** o **he shall eat** (él comerá). **Shall** es más británico que **will**.

2. **be going to**: se usa igual que **will** y **shall** pero significa "voy a". Conjugue únicamente el verbo **be**. **He <u>is going to</u> eat** (él va a comer), **I <u>am going to</u> eat** (yo voy a comer).

· ·

will be	será
will not be = won't be	no será

How many?	¿Cuántos?
Are there?	¿Hay?
There are _____ .	Hay _____.
in	en
You're welcome	de nada

ja ja ja

Y si su chico le pregunta...

Why was the poor man distracted?
He couldn't pay attention.

¿Por qué estaba el hombre pobre distraído?
No podía pagar atención.

to pay= pagar, pero relativo a la atención significa poner o prestar

holidays	días feriados, días festivos
seasons	estaciones
spring	primavera
summer	verano
fall	otoño
autumn	otoño
winter	invierno
New Year	Año Nuevo
Easter	Pascua de Resurrección
Fourth of July	El 4 de Julio
Independence Day	El Día de la Independencia
Christmas	Navidad
Father's Day	Día del Padre
Mother's Day	Día de la Madre

More Vocabulary — Más Vocabulario

What?	¿Qué? ¿Cuál?
When?	¿Cuándo?
date	fecha
month	mes

this	éste, ésta, esto
that	ése, ésa, eso, aquél, aquélla, aquello

is	es
is not = isn't	no es

from	de, desde
to	a
in	en
on	en, sobre

El Calendario y Las Estaciones
Parte Tres

raining   lloviendo

| What's the weather like? | ¿Cómo está el tiempo? |
| What do you wear? | ¿Qué te pones? |

weather	tiempo
raining	lloviendo
snowing	nevando
sunny	soleado
hot	calor, caliente
cold	frío
cloudy	nublado
windy	ventoso

wear	llevar, usar
shorts	pantalones cortos
short slecve T-shirt	camiseta de manga corta
long sleeve T-shirt	camiseta de manga larga
sunglasses	anteojos de sol
coat	abrigo, saco
overcoat	sobretodo, gabardina
scarf	bufanda
raincoat	impermeable
gloves	guantes

More Vocabulary	Más Vocabulario
warm	cálido
cool	fresco
when	cuando
but	pero
today	hoy
yesterday	ayer
tomorrow	mañana
it is = it's	ello es, está
it is not = it isn't	ello no es, no está
it was	ello fue, era
it was not = it wasn't	ello no fue, no era
it will be	ello será, estará
it will not be = it won't be	ello no será, no estará

5

De Compras
Parte Uno

Antes de estudiar ésta o cualquier otra sección, por favor lea las instrucciones.

Fruits
frutas

Fruits	Frutas
cherries / *chérris* /	cerezas
grapefruit / *gréipfrut* /	toronja
apple / *ápel* /	manzana
banana / *banána* /	banana, plátano
oranges / *óranches* /	naranjas
pear / *per* /	pera
grapes / *gréips* /	uvas
lemons / *lémons* /	limones
strawberries / *stróberris* /	fresas
watermelon / *uátermelon* /	sandía
pineapple / *páinapel* /	piña
raspberries / *rásberris* /	frambuesas

· ·

Vegetables	Verduras, Legumbres
artichokes / *ártichocs* /	alcachofas
broccoli / *brócoli* /	bróculi, brécol
beans / *bins* /	frijoles
beets / *bits* /	remolachas
cabbage / *cábach* /	repollo, col

carrots / *cárrots* /	zanahorias
celery / *séleri* /	apio
corn / *corn* /	maíz, elote
onion / *ónion* /	cebolla
peas / *pis* /	guisantes
tomato / *toméito* /	tomate
lettuce / *létos* /	lechuga

Meat / Carne

bacon / *béicon* /	tocino
pork chops / *porc chops* /	chuletas de cerdo
roast beef / *róust bif* /	rosbif
fish / *fish* /	pescado
hot dogs / *jot dogs* /	salchichas
turkey / *túrki* /	pavo
steak / *stéik* /	bistec
chicken / *chíquen* /	pollo
ham / *jam* /	jamón
hamburger / *jamburguer* /	hamburguesa

More Vocabulary / Más Vocabulario

food / *fud* /	comida, alimento
kinds of food / *cainds of fud* /	clases de comida, alimentos
What is this?	¿Qué es esto?
What are these?	¿Qué son éstos?
What else?	¿Qué más?

onion   *cebolla*

What _____ do you like?	¿Qué _____ le gusta?
Do you like _____?	¿Le gusta _____?
What do you want to eat?	¿Qué quiere comer?
I want to eat ____.	Quiero comer ____.
I like ____.	Me gusta(n) ____.
I don't like ____.	No me gusta(n) ____.
I want ____.	Quiero ____.
I don't want ____.	No quiero ____.

. . . .

this is	éste, ésta, esto es
that is	ése, ésa, eso es
	aquél, aquélla, aquello es
these are	éstos, éstas son
those are	ésos, ésas son
	aquéllos, aquéllas son
is not = isn't	no es
are not = aren't	no son

. . . .

on	sobre
in	en

Dairy Section
Sección de Productos Lácteos

| **At the Supermarket** | **En el Supermercado** |
| grocery store | tienda de abarrotes (comestibles) |

Meat Department	**Departamento de Carnes**
meat	carne
chicken	pollo

| **Fruit Section** | Sección de Frutas |
| **Vegetable Section** | Sección de Verduras |

Dairy Section	Sección de Productos Lácteos
milk	leche
cheese	queso
eggs	huevos
yogurt	yogurt

Toiletries Section	Sección de Artículos de Tocador
shaving kit	estuche de afeitar
deodorant	desodorante
shaving cream	crema de afeitar

handsoap	jabón para manos
razor	navaja de afeitar, afeitadora
toothpaste	pasta dentífrica
toothbrush	cepillo de dientes
hairbrush	cepillo del pelo

Cleaning Supplies Section	**Sección de Limpieza**
laundry soap	jabón para lavar ropa
dish towel	toalla de secar platos
sponges	esponjas
dish pan	paila de lavar platos

| **More Vocabulary** | **Más Vocabulario** |

| shopping | ir de compras |
| buy | comprar |

| department | departamento |
| section | sección |

| **Where do you buy _____?** | ¿Dónde se compra _____? |
| **You buy ___ in the ____.** | Se compra ___ en el/la ___. |

| **Do you buy ___ in the ___?** | ¿Se compra ___ en el/la ___? |

Cleaning Supplies Section
Sección de Limpieza

Where do you buy __?	¿Dónde compra usted __?
I buy __ in the __.	Compro __ en el/la __.
Do you want ____?	¿Quiere ____?
I want ____.	Quiero ____.
Do you need ____?	¿Necesita ____?
I need ____.	Necesito ____.
What do we have?	¿Qué tenemos?
We have ____.	Tenemos ____.
What do I have?	¿Qué tengo?
You have ____.	Tiene(s) ____.

....

What else?	¿Qué más?
your	su, sus, tu, tus
also	también
in	en
other(s)	otro, otros
of course	por supuesto
is kept	se guarda
drugstore	droguería, farmacia

De Compras
Parte Tres

furniture *muebles*

How much does it cost?	¿Cuánto cuesta?
How much do they cost?	¿Cuánto cuestan?

expensive	caro
more expensive	más caro
cheap	barato
cheaper	más barato

newspaper stand	puesto de periódicos, kiosco
newspaper	periódico, diario
magazine	revista
fruit market	mercado de frutas
department store	tienda de departamentos
clothing	ropa
housewares	utensilios domésticos
appliances	artículos eléctricos, enseres
hardware	ferretería
furniture	muebles
toys	juguetes

More Vocabulary   Más Vocabulario

It costs _____ .   Cuesta _____ .
They cost _____ .   Cuestan _____ .

El verbo **to let** también significa "permitir" y se usa para formar el imperativo: **let her go!** es "¡déjela ir!" y **let me eat** es "déjeme comer". **Let's** es contracción de **let us** (déjenos).

Let's go _____ .   Vamos, Vámonos _____ .
Let's buy _____ .   Compremos_____ .

· ·

I want to buy _____ .   Quiero comprar _____ .

The total is _____ .   El total es _____ .
That will be a total of __ .   Será un total de _____ .

Your change is _____ .   Su cambio es _____ .
Your change will be ___ .   Su cambio será _____ .

Here is = Here's _____ .   Aquí está _____ .
                              Aquí tiene _____ .
I'll take _____ .   Llevaré _____ .

singular:
Is there _____ ?   ¿Hay_____ ?
plural:
Are there _____ ?   ¿Hay_____ ?

is	es
is not = isn't	no es
it is = it's	ello es
it is not = it's not	ello no es
are	son
are not = aren't	no son
they are = they're	ellos/ellas son
they are not = they aren't	ellos/ellas no son

....

too expensive	demasiado caro
too cheap	demasiado barato

....

per pound	la libra
each	cada (uno)
bag	bolsa
for	por

Movilizándose
Parte Uno

Antes de estudiar ésta o cualquier otra sección, por favor lea las instrucciones en el Manual 1 ó 7.

block   *cuadra*

Where is? = Where's ___?	¿Dónde es _____?
	¿Dónde queda _____?
How do I get to _____?	¿Cómo llego a ____?
How do I get there?	¿Cómo llego allí?

on the corner of	en la esquina de
across from	al otro lado de
between	entre
close to	cerca de
at	en (posición precisa)
on	en (posición general)

(to) go	ir, andar
(to) walk	caminar
(to) drive	manejar
block	cuadra
on the right	a la derecha
on the left	a la izquierda
turn left	doble a la izquierda
turn right	doble a la derecha

fire station	estación de bomberos
post office	oficina de correos
park	parque
bank	banco
police department	estación de policía
gas station	gasolinera
school	escuela
bus station	estación de autobuses
fruit store	frutería
fruit stand	puesto de frutas
hospital	hospital

More Vocabulary — Más Vocabulario

I'm at _____ .	Estoy en _____ .
I want to go to ____ .	Deseo ir a _____ .

....

Do you know _____ ?	¿Sabe usted _____ ?
Excuse me	Discúlpeme
Thank you very much	Muchas gracias
You're welcome	Por nada

It's _____ .   Está, Queda _____ .

They are _____ .   Están, Quedan _____ .

There are _____ .   Hay _____ .

police department
estación de policía

Adivinanzas

What do you give a cannibal who is late for dinner?
The cold shoulder.

*¿Qué se le da a un caníbal que llega tarde a cenar?
El hombro frío.*

ja ja ja

> **to give the cold shoulder**= (literalmente) dar el hombro frío, pero es una expresión que significa tratar a alguien con desdén o darle la espalda

Movilizándose
Parte Dos

tire   llanta

Car Parts	Partes del Automóvil
tire	llanta
hubcap	tapa de ruedas
exhaust pipe	escape
taillights	luces traseras
trunk	baúl
headlights	luces delanteras
ignition key	llave de encender
steering wheel	volante
clutch pedal	pedal del embrague
brake pedal	pedal de freno
gas pedal	pedal de la gasolina, acelerador
speedometer	velocímetro
windshield wipers	limpiaparabrisas
emergency brake	freno de mano
	freno de emergencia
fender	guardafangos

this	éste, ésta, esto
these	éstos, éstas
that	ése, ésa, eso
those	ésos, ésas

What are these?	¿Qué son éstos?
They are _____	Son _____
These are _____	Estos son _____

....

back	atrás
front	frente
inside	dentro
outside	fuera
in front of	frente a
in back of	detrás de
in the front of	en la parte delantera de
in the back of	en la parte trasera de

....

turn on	encender
turn off	apagar
pull	tirar, halar
push	empujar, presionar
start	arrancar
stop	parar

inside — *dentro*

to drive	manejar
to steer	dirigir, guiar
to turn	doblar, girar
to leave	salir
to move	mover
to go right	ir a la derecha
to go left	ir a la izquierda
to change gears	cambiar velocidades

More Vocabulary — Más Vocabulario

What is this?	¿Qué es esto?
It's a _____	Es un ___
This is a ___	Esto es un ___
What do you do when __?	¿Qué hace cuando __?
What does ____ do?	¿Qué hace ___?
How do I __?	¿Cómo ___?

....

Where?	¿Dónde?
How many?	¿Cuántos?
When you want _____ .	Cuando Ud. quiere_____ .

....

Drive carefully!	¡Maneje con cuidado!

fire department
departamento de bomberos

Calling for help	Pidiendo ayuda
Who do you call?	¿A quién llamar?

emergency	emergencia
fire	incendio, fuego
burglary	robo
sick	enfermo

911	911 (nueve-once)
fire department	departamento de bomberos
police	policía
doctor	doctor
ambulance	ambulancia

More Vocabulary — Más Vocabulario

When there's _____ .	Cuando hay _____ .
If there's _____ .	Si hay _____ .
When you're _____ .	Cuando se _____ .
If you're _____ .	Si se _____ .

You call _____ .	Se llama a _____ .
I need to call _____ .	Necesito llamar a _____ .
I'm calling _____ .	Estoy llamando a _____ .
Do you want to call _?	¿Quiere llamar a _____ ?

Where are you?	¿Dónde está(s)?
I'm in _____.	Estoy en _____.
What's the address?	¿Cuál es la dirección?
The address is _____.	La dirección es _____.
What's your phone number?	¿Cuál es su número de teléfono?
My phone number is __.	Mi número de teléfono es _____.
Can you wait?	¿Puede(n) esperar?
Sure. We're waiting.	Seguro. Estamos esperando.

....

Where's ____?	¿Dónde está ____?
There's ____.	Hay ____.
here	aquí
over there	por allá
cross streets	calles que cruzan
in between	entre
pay phone	teléfono a monedas
phone call	llamada telefónica
free	gratis

I don't have ____.	No tengo ____.
I don't understand.	No entiendo.
I need ____.	Necesito ____.

ambulance *ambulancia*

ja ja ja

Chiquilladas del idioma para compartir con su familia:

Why was the bride sad?
She couldn't marry the best man.

¿Por qué estaba triste la novia?
No pudo casarse con el mejor hombre.

best man= (literalmente) el mejor hombre, pero es también el título que se le da al padrino de bodas

7

Antes de estudiar ésta o cualquier otra sección, por favor lea las instrucciones.

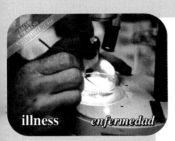

illness   *enfermedad*

How do you feel?	¿Cómo se siente?
What's wrong with you?	¿Qué le pasa?
Is something wrong?	¿Le pasa algo?
What hurts?	¿Qué le duele?

ailment	dolencia, malestar
illness	enfermedad
(to) feel	sentir
(to) hurt	doler

cold / cold /	resfrío, resfriado
sore throat / sor zróut /	dolor de garganta
headache / jédeic /	dolor de cabeza
toothache / túzeic /	dolor de muelas
earache / ireic /	dolor de oído
stomachache / stómakeic /	dolor de estómago
backache / bákeic /	dolor de espalda
hot and achy / jot and éiki /	caliente y adolorido

I have (a) _____ .	Tengo (un) _____ .
You have (a) _____ .	Tiene (un) _____ .
He has (a) _____ .	El tiene (un) _____ .
She has (a) _____ .	Ella tiene (un) _____ .

Do you have (a) _____ ?   ¿Tiene usted (un) _____ ?
Does he have (a) _____ ?   ¿Tiene él (un) _____ ?
Does she have (a) _____ ?   ¿Tiene ella (un) _____ ?

···

Does your _____ hurt?   ¿Le duele el/la _____ ?
Does his _____ hurt?   ¿Le duele a él el/la ___ ?
Does her _____ hurt?   ¿Le duele a ella el/la_____ ?

My _____ hurts.   Me duele el/la _____ .
His _____ hurts.   Le (de él) duele el/la ___ .
Her _____ hurts.   Le (de ella) duele el/la __ .

···

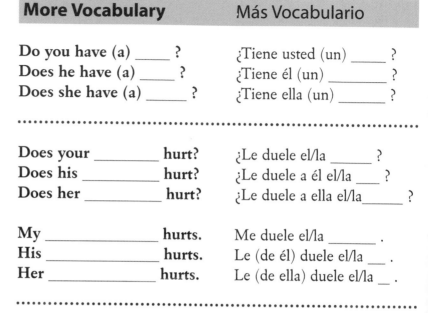

I feel _____ .   Siento _____ .
You feel _____ .   Usted siente _____ .
He/She feels _____ .   El/Ella siente _____ .
I don't feel _____ .   No siento _____ .
You don't feel _____ .   Usted no siente _____ .
He/She doesn't feel ___ .   El/Ella no siente _____ .

with me   conmigo
with you   consigo, contigo
with him   con él
with her   con ella

(to) hurt *doler*

here	aquí
there	allá
over here	por aquí
over there	por allá

You look ____.	Usted se ve ____.
good	bien
fine	bien
bad	mal

a little	un poco
only	solamente
too	también
maybe	quizás

Para compartir con los niños...

ja ja ja

Why did the man sit in front of the TV with a washcloth?
He was going to watch a soap opera.

¿Por qué se sentó el hombre frente al televisor con una toallita de lavarse?
Iba a ver una ópera de jabón.

soap= jabón, pero **soap opera**= telenovela (porque al principio eran patrocinadas frecuentemente por compañias de jabón)

Staying healthy — Manteniéndose saludable

How do you stay healthy? — ¿Cómo se mantiene saludable?

Eat Nutritious Foods — Comer alimentos nutritivos

protein	proteína
cheese	queso
milk	leche
meat/chicken	carne/pollo
rice/beans	arroz/frijoles
eggs	huevos
fish	pescado

Get Plenty Of Exercise — Hacer suficiente ejercicio

What do you do?	¿Qué hace?
I dance	Bailo
I play sports	Practico deportes
I run	Corro
I swim	Nado
I walk	Camino
I ride a bicycle	Monto en bicicleta

Get Plenty of Sleep	Dormir lo suficiente

Have Regular Check-ups	Tener reconocimientos médicos regularmente
doctor	doctor
dentist	dentista
examination	examen
x-rays	radiografías

More Vocabulary — Más Vocabulario

What do you eat?	¿Qué come?
I eat _____ .	Como _____ .
What does he/she eat?	¿Qué come él/ella?
He/She eats _____ .	El/Ella come _____ .

What did you eat?	¿Qué comió?
I ate _____ .	Comí _____ .
What did he/she eat?	¿Qué comió él/ella?
He/She ate _____ .	El/Ella comió _____ .

I swim   *Nado*

What does he/she do?	¿Qué hace él/ella?
He/She dances	El/Ella baila
He/She plays sports	El/Ella practica deportes
He/She runs	El/Ella corre
He/She swims	El/Ella nada
He/She walks	El/Ella camina
He/She rides a bicycle	El/Ella monta en bicicleta

What did you do?	¿Qué hizo usted?
I ran	Corrí
I swam	Nadé
I walked	Caminé
I rode a bicycle	Monté en bicicleta.

What did he/she do?	¿Qué hizo él/ella?
He/She ran	El/Ella corrió
He/She swam	El/Ella nadó
He/She walked	El/Ella caminó
He/She rode a bicycle	El/Ella montó en bicicleta

How many hours of sleep do you get?	¿Cuántas horas duerme?
I get ____ hours.	Duermo ____ horas.

How many hours of sleep does he/she get?	¿Cuántas horas duerme él/ella?
He/She gets _____ hours.	El/Ella duerme __horas.
How many hours of sleep did you get?	¿Cuántas horas durmió?
I got _ hours.	Dormí _____ horas.
How many hours of sleep did he/she get?	¿Cuántas horas durmió él/ella?
He/She got _____ hours.	El/Ella durmió __horas.

....

| **How often do you go _____?** | ¿Con qué frecuencia va a_? |
| **I go _____.** | Voy _____. |

| **How often does he/she go_____?** | ¿Con qué frecuencia va él/ella ____ _____? |
| **He/She goes _____.** | El/Ella va _____. |

....

| **How often did you go____?** | ¿Con qué frecuencia fue _? |
| **I went _____.** | Fui _____. |

| **How often did he/she go_____?** | ¿Con qué frecuencia fue él/ella _____? |
| **He/She went _____.** | El/Ella fue _____. |

x-rays *radiografías*

Do you want _____?	¿Quiere _____?
I want _____.	Quiero _____.

Do you have _____?	¿Tiene _____?
I have _____.	Tengo _____.

Did you have _____?	¿Tuvo_____?
I had _____.	Tuve _____.

today	hoy
yesterday	ayer
every day	todos los días

once a year	una vez al año
twice a year	dos veces al año
three times a year	tres veces al año

....

check-up	examen, reconocimiento
nothing	nada
last year	el año pasado
swimming pool	piscina, alberca

workers
trabajadores

job	trabajo, empleo
work	trabajo
workers	trabajadores

teacher	profesor
bartender	cantinero
painter	pintor
repairman	reparador, componedor
doctor	doctor
photographer	fotógrafo
singer	cantante
policeman	policía

a school	una escuela
a bar	una cantina
a doctor's office	la oficina de un doctor, un consultorio
a hospital	un hospital
a studio	un estudio

What's your job?   ¿Cuál es su trabajo?
What's his/her job?   ¿Cuál es su (de él/ella) trabajo?

I'm a _____.   Soy un(a) _____.
He's a _____.   El es un _____.
She's a _____.   Ella es una _____.

....

Where do you work?   ¿Dónde trabaja?
Where does he/she work?   ¿Dónde trabaja él/ella?
Where does a ___ work?   ¿Dónde trabaja un ___?

I work in _____.   Trabajo en _____.
He/She works in _____.   El/Ella trabaja en _____.
A ___ works in _____.   Un(a) ___ trabaja en ___.

....

What do you do?   ¿Qué hace?
What does he/she do?   ¿Qué hace él/ella?
What does a ___ do?   ¿Qué hace un _____?

I teach.   Yo enseño.
He/She teaches.   El/Ella enseña.

I tend bar.   Yo atiendo una cantina.
He/She tends bar.   El/Ella atiende una cantina.

repairman
reparador, mecánico

I make drinks.	Yo preparo bebidas.
He/She makes drinks.	El/Ella prepara bebidas.
I paint.	Yo pinto.
He/She paints.	El/Ella pinta.
I repair things.	Yo reparo cosas.
He/She repairs things.	El/Ella repara cosas.
I fix things.	Yo reparo cosas.
He/She fixes things.	El/Ella compone cosas.
I take care of people.	Yo cuido gente.
He/She takes care of people.	El/Ella cuida gente.
I take pictures/photographs.	Yo tomo fotografías.
He/She takes pictures/ photographs.	El/Ella toma fotografías.
I sing.	Yo canto.
He/She sings.	El/Ella canta.
I patrol.	Yo patrullo.
He/She patrols.	El/Ella patrulla.
I police.	Yo guardo el orden.
He/She polices.	El/Ella guarda el orden.

good	buen
great	gran
clothes	ropa
fashion magazine	revista de modas

I like _____.	Me gusta _____.
That's _____.	Eso es _____.

....

but	pero
of	de
with	con
for	por, para

More Jobs   Más Trabajos

For your information, the following is an additional list of jobs.
Para su información, la siguiente es una lista adicional de trabajos.

....

mechanic	mecánico
electrician	electricista
plumber	plomero, fontanero
carpenter	carpintero

chef	jefe de cocina
cook	cocinero

a doctor's office
la oficina de un doctor
un consultorio

waitress	camarera, mesera
waiter	camarero, mesero
busboy	ayudante de camarero
secretary	secretaria
receptionist	recepcionista
typist	mecanógrafo(a)
file clerk	archivador(a)
bookkeeper	tenedor(a) de libros
accountant	contador(a)
truck driver	camionero
bus driver	conductor de autobús
street sweeper	barrendero
garbage collector	recogedor de basura
heavy equipment operator	operador de equipo pesado
reporter	reportero(a)
computer programmer	programador(a) de computadoras
computer operator	operador(a) de computadoras
nurse	enfermero(a)
medical technician	técnico de medicina
lab technician	técnico de laboratorio
dental assistant	ayudante dental
lawyer	abogado

Antes de estudiar ésta o cualquier otra sección, por favor lea las instrucciones.

Your family
Su familia

Your family	Su familia
Who are they?	¿Quiénes son?
What do they look like?	¿Cómo son ellos?
Tell me about ____.	Dígame acerca de ___.

father / *fázer* /	padre
mother / *mózer* /	madre
son / *son* /	hijo
daughter / *dóter* /	hija
husband / *jósband* /	esposo
wife / *uáif* /	esposa
sister / *síster* /	hermana
brother / *brózer* /	hermano
grandfather / *grándfazer* /	abuelo
grandmother / *grándmozer* /	abuela
granddaughter / *grándoter* /	nieta
grandson / *grándson* /	nieto
uncle / *ónkel* /	tío
aunt / *ant* /	tía
niece / *nis* /	sobrina
nephew / *néfiu* /	sobrino
cousin / *cósin* /	primo(a)

mother-in-law	suegra
father-in-law	suegro
sister-in-law	cuñada
brother-in-law	cuñado
parents	padres
children	hijos

height	estatura
tall	alto(a)
short	bajo(a)
average height	estatura promedio

weight	peso
fat	gordo(a)
thin	delgado(a)
average weight	peso promedio

age	edad
young	joven
old	viejo(a), anciano(a)
middle-aged	edad mediana

Who are they?
¿Quiénes son?

More Vocabulary	Más Vocabulario
stocky	rechoncho, robusto

my	mi
your	tu, su
his	su (de él)
her	su (de ella)
our	nuestro(a)
their	sus

Am I _____ ?	¿Soy _____ ?
Are you _____ ?	¿Eres, Es _____ ?
Is he/she _____ ?	¿Es él/ella _____ ?
Are we _____ ?	¿Somos _____ ?
Are they _____ ?	¿Son _____ ?

I am = I'm _____ .	Soy _____ .
You are = You're _____ .	Eres, Es _____ .
He/She is = He's/She's__ .	El/Ella es _____ .
We are = We're _____ .	Somos _____ .
They are = They're _____ .	Son _____ .

What do I look like?	¿Cómo soy?
What does he/she look like?	¿Cómo es él/ella?
What do we look like?	¿Cómo somos?

Have you seen ____?	¿Ha visto ____?
married	casado
but	pero
too	demasiado, también
very	muy

Chiquilladas del idioma para compartir con su familia:

ja ja ja

Why does Father Time wear bandages?
Because day breaks and night falls.

¿Por qué el padre Tiempo (la figura del tiempo) lleva vendas?
Porque el día se rompe y la noche cae.

to **break**= romper, pero relativo al día significa despuntar

Free Time
Tiempo Libre

Free Time | **Tiempo Libre**
What do you like to do? | ¿Qué le gusta hacer?
Where do you like to go? | ¿Adónde le gusta ir?

leisure activities | actividades de descanso
entertainment | entretenimiento
fun | diversión

At Home | **En Casa**
(to) watch TV | mirar TV
(to) watch videos | mirar videos
(to) listen to the radio | escuchar el/la radio
(to) listen to cassettes | escuchar cassettes
(music) | (música)
(to) play cards | jugar a las cartas
(to) read a book | leer un libro
(to) sew | coser

Places To Go | **Lugares Para Ir**
movie theater | sala de cine
concert | concierto
party | fiesta
restaurant | restaurante

More Vocabulary   Más Vocabulario

What do you do at __?	¿Qué hace en __?
I watch a movie.	Miro una película.
He/She watches a movie.	El/Ella mira una película.
We watch a movie.	Nosotros miramos una película.
They watch a movie.	Ellos miran una película.
I listen to music.	Escucho música.
He/She listens to music.	El/Ella escucha música.
We listen to music.	Nosotros escuchamos música.
They listen to music.	Ellos escuchan música.
I talk with my friends.	Hablo con mis amigos.
He/She talks with his/her friends.	El/Ella habla con sus amigos.
We talk with our friends.	Nosotros hablamos con nuestros amigos.
They talk with their friends.	Ellos hablan con sus amigos.
I eat.	Yo como.
He/She eats.	El/Ella come.
We eat.	Nosotros comemos.
They eat.	Ellos comen.

party   *fiesta*

Do you like to _____?	¿Le gusta _____?
Does he/she like to _____?	¿Le gusta a él/ella _____?
Do we like to _____?	¿Nos gusta _____?
Do they like to _____?	¿Les gusta _____?

....

I like to _____.	Me gusta _____.
He/She likes to _____.	A él/ella le gusta ____.
We like to _____.	Nos gusta _____.
They like to _____.	Les gusta _____.

I want to _____.	Quiero _____.
He/She wants to _____.	El/Ella quiere_____.
We want to _____.	Queremos _____.
They want to _____.	Ellos quieren _____.

I enjoy _____.	Disfruto _____.
He/She enjoys _____.	El/Ella disfruta _____.
We enjoy _____.	Nosotros disfrutamos ___.
They enjoy _____.	Ellos disfrutan _____.

....

I do not = I don't	yo no
you do not = you don't	tú no, usted no
he/she does not =	él/ella no
he/she doesn't	
we do not = we don't	nosotros no
they do not = they don't	ellos/ellas no

(to) go out	salir
(to) stay at home	quedarse en casa
(to) do things	hacer cosas
(to) have time	tener tiempo

spare time	tiempo libre

there	allá
also	también

How do you find a job? | ¿Cómo se encuentra un trabajo?

Where do you look for work? | ¿Dónde se busca trabajo?

- -

in the newspaper	en el periódico/diario
in the classified section	en la sección de clasificados
in the classified ads	en los anuncios clasificados
going door to door	yendo de puerta en puerta
at an employment agency	en una agencia de empleos
by word of mouth	verbalmente

- -

How much does it pay?	¿Cuánto paga?
It pays _____ a month.	Paga _____ al mes.
It pays _____ a week.	Paga _____ a la semana.
What are the hours?	¿Cuáles son las horas?
	¿Cuál es el horario?
The hours are from _____ to _____.	Las horas son de _____ a _____.
How much is the rent?	¿Cuánto es el alquiler?
Is there a lease?	¿Hay contrato de arriendo?
Are utilities included?	¿Están incluidos los servicios públicos?

apartment	apartamento
(to) rent	alquilar
(to) lease	arrendar
utilities	servicios públicos (gas, electricidad, agua, etc.)
gas	gas
electricity	electricidad
water	agua

· ·

looking for	buscando
hunting for	cazando, buscando
going	yendo
reading	leyendo
talking	hablando

· ·

Let's go	Vamos
How else?	¿De qué otra manera?

More Vocabulary   Más Vocabulario

What are you doing?	¿Qué hace?
Don't you have _____?	¿No tiene _____?
I have _____.	Tengo _____.
I want _____.	Quiero _____ ____.

apartment
apartamento

How many __ are there?	¿Cuántos _____ hay?
Is/are there _____?	¿Hay _____?
There is/are _____.	Hay _____.

What kind of ____ is it?	¿Qué tipo de _____ es?
Is it _____?	¿Es _____?
It is _____.	Es _____.
It isn't _____.	No es _____.

Who do you call?	¿A quién se llama?
You call _____.	Se llama a _____.
What is the phone number?	¿Cuál es el número de teléfono?
The phone number is __.	El número de teléfono es __.
Where is it?	¿Dónde está?
It's in ____.	Está en ____.

place	lugar
interview	entrevista
one year	un año
new	nuevo
happy	feliz
better	mejor
but	pero
very	muy
not very	no muy

Una carta a una amiga

Querida Julia:

¿Cómo estás tú y cómo está tu familia? Yo estoy bien, pero nuestro hijo, Marcos, está enfermo. Tiene dolor de oído. Mañana irá al doctor para un reconocimiento. Nuestra hija, Cristina, está bien. Marcos es alto ahora, pero todavía un poco rechoncho. Cristina es muy alta y delgada y tiene pelo largo y rizado.

Mi esposo, Eduardo, y yo vamos a una fiesta el sábado. La fiesta es en la casa de Enrique Santos. El vive en Santa Barbara, cerca de las montañas. La fiesta es a las siete de la noche. Saldremos de nuestro apartamento al mediodía. Me gusta manejar a Santa Barbara. Almorzaremos en un restaurante e iremos a la casa de mi tía Marta primero. Ella vive en una estancia fuera de Santa Barbara.

Eduardo tiene un nuevo trabajo. Es reparador en Sears. El horario es de 7 a.m. a 4 p.m. y el sueldo es muy bueno. Le gusta su trabajo. ¿Cuál es el trabajo de Franco ahora y dónde trabaja?

¿Cómo está el tiempo en Texas? Aquí está cálido y soleado. A los niños y a mí nos gusta ir a la playa por las tardes. ¿Cuándo vienen tú y tu familia a L.A.? ¿Quieren visitarnos durante el verano, el Cuatro de Julio? Marcos y Cristina quieren jugar con tus niños y yo quiero hablar contigo. Por favor, llámame por teléfono.

Cariñosamente,

Sandra

A Letter To A Friend

Dear Julia:

How are you and how is your family? I am fine, but our son, Marcos, is sick. He has an earache. Tomorrow he will go to the doctor for a check-up. Our daughter, Cristina, is well. Marcos is tall now, but still a little stocky. Cristina is very tall and thin and has long, curly hair.

My husband, Eduardo, and I are going to a party on Saturday. The party is at Enrique Santos' house. He lives in Santa Barbara, close to the mountains. The party is at seven in the evening. We are leaving our apartment at noon. I like to drive to Santa Barbara. We will eat lunch in a restaurant and go to my Aunt Marta's house first. She lives on a farm outside Santa Barbara.

Eduardo has a new job. He's a repairman at Sears. The hours are from 7 a.m. to 4 p.m. and the pay is very good. He likes the job. What is Franco's job now and where does he work?

What is the weather like in Texas? It's warm and sunny here. The children and I like to go to the beach in the afternoons. When are you and your family coming to L.A.? Do you want to visit in the summer, on the Fourth of July? Marcos and Cristina want to play with your children and I want to talk to you. Please call me on the phone.

Love,

Sandra

Localice en los videos la sección titulada "Aprendamos Viajando".

Estos son los sonidos característicos de una ciudad sureña tan famosa por su herencia musical como por la mezcla de francés, español, cajún y africano en su pasado. Una ciudad rica en historia; una ciudad con un carnaval segundo a ningún otro.

Esta es una ciudad que atrae a visitantes que vienen a ver su gran río y su esplendor arquitectónico. Atrae a la gente que viene a gozar de su energía, de su ambiente animado, de su característica comida y de su música espiritual. La ciudad es Nueva Orleans, Reina del Misisipi.

La ciudad más grande en el estado de Luisiana, Nueva Orleans está situada directamente junto al Río Misisipi a 110 millas río adentro del Golfo de México.

El terreno sobre el cual se encuentra la ciudad fue tallado en una característica forma de media luna por el Río Misisipi hace mucho tiempo. Como resultado, a menudo la llaman "La Ciudad Creciente".

Nueva Orleans es casi un isla, como puede ver en esta vista aérea. Está rodeada de lagos, arroyos y pantanos de árboles cipreses. La ciudad estuvo aislada del continente de los EE.UU. durante casi 250 años, antes de que se construyera el primer puente.

Nueva Orleans, por tanto, desarrolló su propio carácter y estilo especial. Los árboles cipreses crecen en los tranquilos "bayous". En las aguas de los "bayous" usted verá las cabañas de madera usadas por los cazadores cajunes.

Cajún es una palabra propia de Nueva Orleans. Los cajunes vinieron de una parte de Canadá conocida como Arcadia para asentarse en Nueva Orleans.

These are the distinctive sounds of a southern city as famous for its musical heritage as for its mixed French, Spanish, Cajun, and African past. A city with a rich history; city with a Carnival second to none.

This is a city which attracts visitors who come to see its great river and its architectural splendor.It attracts people who come to enjoy its energy, its lively atmosphere, its distinctive spiced cuisine and its soul music. The city is New Orleans, Queen of the Mississippi.

The largest city in the State of Louisiana, New Orleans is located directly on the Mississippi River, 110 miles inland from the Gulf of Mexico.

The land on which the city sits was carved into a distinctive half-moon shape by the Mississippi River a long time ago. As a result, the city is often referred to "The Crescent City".

New Orleans is almost an island, as you can see from this aerial view. It's surrounded by lakes, streams and cypress swamps. The city was isolated from the United States mainland for almost 250 years, before the first bridge was built.

New Orleans, therefore, developed its own special character, and style. The cypress trees rise out of the still bayous. In the waters of the bayous, you'll see wood cabins used by Cajun hunters and trappers.

Cajun is a New Orleans term. The Cajuns came from a part of Canada known as Arcadia to settle in New Orleans.

La palabra "Arcadian" pronto se convirtió en "Cajún".

10.000 cajunes recibieron tierra de los franceses, los gobernadores de la zona, principalmente a lo largo de los pantanos y "bayous". Ellos se mantuvieron aislados en su nuevo entorno y hoy todavía hablan su propia versión del francés, bailan sus propios bailes, tocan su propia música y comen su propia comida picante.

A los cajunes les encantan los cangrejos de agua dulce con quimbombó, una especie de guiso picante de marisco y ave. De hecho, les encanta la comida. Jumbalaya, un plato hecho con salchichas, mariscos y otros ingredientes y servido con arroz guisado, es otra especialidad cajún. Los cajunes son verdaderos amantes de la comida pero no sin música, su propia música especial.

Nueva Orleans es una ciudad de barrios. Estamos ahora en el corazón del barrio francés. Esta es la Plaza Jackson, con su catedral, parte de la historia francesa y también española de Nueva Orleans. Era originalmente un lugar para celebrar desfiles militares conocido como "La Place d'Armes" para los franceses y la Plaza de Armas para los españoles. Hoy es un parque agradable con una famosa estatua ecuestre en el centro.

Es una estatua del General Andrew Jackson, en cuyo honor la plaza recibe su nombre. Jackson es el héroe de la Batalla de Nueva Orleans en 1856, cuando los británicos fueron derrotados por los habitantes de esta ciudad.

A la izquierda de la catedral, que domina el parque, está el Cabildo. Este encantador edificio fue nombrado en honor al Consejo de Gobierno Español durante el gobierno español de Nueva Orleans. Edificios históricos como éstos le dan hoy a Nueva Orleans su encanto histórico.

The word "Arcadian" soon became "Cajun."

10,000 Cajuns were given land by the French, rulers of the area, mostly along the swamps and bayous. They remained isolated in their new environment and today still speak their own version of French, dance their own dances, play their own music and eat their own spicy food.

The Cajuns love crawfish and gumbo, a sort of spicy mixed shellfish and poultry stew. In fact, they love food. Jumbalaya, a dish made of sausage, shellfish and other ingredients served on top of yellow rice is another Cajun specialty. The Cajuns are real lovers of food but not without music, their own special music.

New Orleans is a city of quarters. We are now at the heart of the French Quarter. This is Jackson Square, with its cathedral building, part of New Orleans' French and also Spanish history. It was originally a military parade ground, known as Place d'Armes to the French, and Plaza de Armas to the Spanish. Today it's a pleasant park with a famous equestrian statue in the middle of it.

It's a statue of General Andrew Jackson for whom the square is named. Jackson is the hero of the Battle of New Orleans of 1856, when the British were defeated by the people of this city.

To the left of the cathedral which dominates the square, is the Cabildo. This lovely building is named after the Spanish Governing Council during the Spanish Rule of New Orleans. Historic buildings such as these give New Orleans its historical charm today.

Nueva Orleans es una ciudad llena de historia. Esta casa, por ejemplo, ahora una tienda de libros, es donde el famoso escritor, William Faulkner, escribió su novela, "Salario de Soldado".

Nueva Orleans ha capturado la imaginación de muchos artistas creativos que han escrito libros aquí. Tennesee Williams escribió "Un Tranvía Llamado Deseo" mientras vivía en esta casa. Esta placa conmemora el hecho.

Las casas del barrio francés, conocidas como casas criollas, tienen tranquilos patios interiores escondidos de la vista del público. Aquí puede ver algunos ejemplos. Fíjese en sus bellos trabajos de hierro forjado.

"Brunch", el desayuno-almuerzo, es una invención de Nueva Orleans. Los mercaderes y carniceros de la ciudad tomaban su desayuno tarde en el día en Nueva Orleans, dando origen al "brunch".

Brennan's es el lugar para tomar "brunch". Establecido en 1946, este elegante restaurante es donde usted puede disfrutar de un "brunch" al estilo Nueva Orleans.

Los cocineros del restaurante son de primera clase. En Brennan's los clientes pueden disfrutar de una mezcla de comida cajún picante y la más tradicional comida francesa y española al estilo criollo. Esta es la comida auténtica de Nueva Orleans.

Nueva Orleans es también un importante centro de negocios. El Distrito Central de Negocios o CBD, como se le llama, es el punto de concentración de las oficinas principales de corporaciones, restaurantes y tiendas.

New Orleans is a city full of history. This house, for example, now a bookstore, is where the famous writer, William Faulkner, wrote his novel, "Soldier's Pay."

New Orleans has captured the imagination of many creative artists who have written books here. Tennessee Williams wrote "A Street Car Named Desire" while he lived in this house. This plaque records the fact.

The French Quarter houses, known as Creole homes, have quiet courtyards, hidden from public view. Here you can see some examples. Note their beautiful wrought-iron work.

Brunch is a New Orleans' invention. City merchants and butchers ate breakfast late in the day in New Orleans giving birth to brunch.

Brennan's is the place for brunch. Established in 1946, this elegant restaurant is where you can enjoy a New Orleans style brunch.

The restaurant's chefs are first class. At Brennan's guests can enjoy a blend of spicy Cajun cuisine and the more traditional French and Spanish Creole style. This is real New Orleans food.

New Orleans is also an important business center. The Central Business District, CBD, as it is called, is the focal point of corporate headquarters, restaurants and shopping.

El CBD es también el hogar del Superdome de Nueva Orleans, donde se celebran eventos deportivos de importancia mundial.

Al lado de los rascacielos gigantes del CBD, encontrará muchas calles como éstas, llenas de edificios al estilo del Nueva Orleans de mediados del siglo

La iglesia de San Patricio es una de las iglesias más antiguas de la ciudad. Construida en 1820, su estructura de yeso y madera se ve exactamente igual que si fuera de piedra.

Esta es la Calle Canal, una linda avenida bordeada de árboles, que atraviesa el CBD y lo separa del barrio francés. Durante el siglo XIX era la línea divisoria entre los barrios americanos y franceses de Nueva Orleans.

Nueva Orleans es una ciudad rica con un pasado próspero. Estas residencias grandiosas lo demuestran. Muchos de sus propietarios hicieron su dinero en las grandes plantaciones a lo largo del Río Misisipi.

La mitad de los millonarios norteamericanos vivían en la región durante el período de las plantaciones de la historia norte-américana. Hicieron su dinero del algodón, azúcar, tabaco y añil.

Visitemos una de estas plantaciones y a sus residentes. Esta gran mansión blanca es la Plantación Rosedown, construida en el año 1835. Una avenida ancha de ancianos robles sube hasta la casa.

Arboles, estatuas de mármol, fuentes y flores de vivos colores crean este entorno maravilloso. Disfrutemos de Rosedown por unos momentos.

The CBD is also the home of the New Orleans Superdome, host to world-class sporting events.

Next door to the CBD's towering skyscrapers, you'll find many streets like these, full of mid nineteenth century New Orleans-style buildings.

St. Patrick's church is one of the city's oldest churches. Built in 1820, its wood and plaster structure looks just like stone.

This is Canal Street, a lovely tree-lined boulevard, which runs through the CBD and separates it from the French Quarter. In the 19th century it was the dividing line between the American and French Quarters of New Orleans.

New Orleans is a wealthy city with a prosperous past. These grand houses illustrate this. Many of their owners made their money in the great plantations along the Mississippi River.

Half of the millionaires of America lived in the region during the plantation period of American history. They made their money from cotton, sugar, tobacco and indigo.

Let's visit one of these plantations and its residents. This grand white mansion is Rosedown Plantation, built in 1835. A wide avenue of ancient oaks leads up to the house.

Trees, marble statues, flowering fountains and colorful flowers make this a wonderful environment. Let's enjoy Rosedown for a few moments.

Nueva Orleans tiene un extenso distrito histórico de elegantes residencias, construidas en muchos estilos arquitectónicos diferentes.

Los interiores de algunas de estas residencias dejan a uno sin aliento. Muchas de estos decorados interiores al estilo europeo fueron creados por los criollos, personas nacidas en Nueva Orleans de ascendencia francesa o española.

Las casas en Nueva Orleans reflejan la diversidad de sus ciudadanos. Las casas que estamos viendo ahora fueron construidas por norteamericanos, que rodeaban sus casas de elegantes jardines. A ellos no les gustaban los patios interiores que vimos antes que preferían los criollos. Ellos bordeaban sus casas con verjas decorativas de hierro forjado.

Una de las más llamativas de estas casas es una residencia llamada la Villa de Nueva Orleans. Fíjese en los maravillosos diseños de tallos de maíz y de enredaderas Dondiego. Esta zona de Nueva Orleans, conocida como el Distrito de los Jardines, antes era una ciudad independiente llamada Lafayette. El Cementerio Lafayette, o "La Ciudad de los Muertos", como lo llaman, fue creado en 1883.

Usted notará que las tumbas y mausoleos están todos sobre la superficie. Esto se debe a los pantanos de esta zona. El cementerio es como un pequeño pueblo con hileras de "casas".

El Parque Audubon de Nueva Orleans es un oasis urbano nombrado en honor al famoso naturalista John James Audubon, que vivió y trabajó en Nueva Orleans. Este precioso parque ofrece un encantador ambiente natural donde la gente puede caminar, patinar, montar en bicicleta, jugar golf, pescar y merendar al aire libre.

New Orleans has an extensive historical district of elegant residences, built in many different architectural styles.

The interiors of some of these homes are quite breathtaking. Many of these European-style decors were created by the Creoles, people born in New Orleans of French or Spanish descent.

The houses in New Orleans reflect the diversity of its citizens. The houses we are now viewing were built by Americans who surrounded their homes with elegant gardens. They did not like the hidden courtyards we saw earlier, favored by the Creoles. They bordered their homes with decorative cast iron fences.

One of the most distinctive of these houses is a home called the Villa of New Orleans. Notice its wonderful corn stock and morning glory designs. This area of New Orleans, known as the Garden District, used to be a city of its own, called Lafayette. Lafayette Cemetery, or "City of the Dead," as it is known, was created in 1883.

You'll notice the tombs and mausoleums are all above ground. This is because of the swamplands of this area. The cemetery is like a small town with rows of "houses."

The New Orleans Audubon Park is an urban oasis named after famous naturalist John James Audubon, who lived and worked in New Orleans. This beautiful park offers a delightful natural environment where people can walk, skate, bike, play golf, fish and picnic.

Al otro lado del parque está el Jardín Zoológico Audubon, con su vegetación frondosa y su colección de animales salvajes. Es un establecimiento de primera clase, dedicado a la exhibición y preservación de animales.

Uno de los residentes del jardín es este búho grande. Hay mucho que ver y disfrutar aquí, incluyendo estos insólitos cocodrilos blancos, que se encuentran únicamente en los pantanos de Nueva Orleans y en ningún otro sitio.

Una visita a Nueva Orleans no es completa sin un paseo en tranvía. Estamos a bordo de uno de los viejos tranvías verdes conocidos como la Línea de Tranvías St. Charles. Es la más vieja en el mundo.

Inaugurada el 26 de septiembre de 1835, la Línea St. Charles es la única línea de tranvías que queda en Nueva Orleans. Paseemos durante unos minutos, mientras el tranvía verde recorre la Avenida St. Charles hacia el recién restaurado Paseo del Río.

Esta parte de Nueva Orleans nos brinda maravillosas vistas en ambas direcciones del Río Misisipi, como usted verá. Es aquí donde encontrará el Acuario de las Américas. Un acuario de un millón de galones, aloja a más de 10.000 peces, reptiles y aves. De veras hay mucho que ver y disfrutar en el Acuario.

Nueva Orleans es conocido por los barcos de vapor del Misisipi. Son como enormes pasteles de boda. Una forma muy común de transporte en otros tiempos, los barcos de vapor hoy en día son palacios flotantes de diversión. Todavía se les puede ver yendo y viniendo por el río, pero ahora su cargamento suele ser turistas.

Across from the park is the Audubon Zoological Garden with its lush foliage and wildlife collection. It's a world class facility, dedicated to the exhibition and preservation of animals. One of the garden's residents is this large owl.

There is plenty to see and enjoy here, including these unique white alligators, found only in the New Orleans swamplands and nowhere else.

A visit to New Orleans is not complete without a streetcar ride. We are aboard one of the old green streetcars known as the St. Charles Streetcar Line. It's the oldest in the world.

Opened on September 26, 1835, the St. Charles Line is the only remaining New Orleans streetcar. Let's ride along for a few minutes as the green car travels along St. Charles Avenue to the newly restored Riverwalk.

This part of New Orleans offers wonderful views up and down the Mississippi River, as you will see. It's here you'll find the Aquarium of the Americas. A one million gallon aquarium, it houses over 10,000 fish, reptiles and birds. There is really a lot to see and enjoy at the Aquarium.

New Orleans is known for its Mississippi steamboats. They are like giant wedding cakes. Once a common form of transportation, the steamboats today are floating pleasure palaces. They can still be seen chugging up and down the river, but now their cargo is usually tourists.

Entretienen a los pasajeros con la música de Nueva Orleáns y ofrecen vistas panorámicas de Nueva Orleáns y los alrededores. Este vapor en particular es el Natchez. Está señalando su regreso al puerto con fuertes pitidos de su silbato de vapor y su propia canción especial.

Y luego está la Calle Bourbon. Su fama yace en su música, que puede oírse en los clubes de música que bordean ambos lados de la calle. Un lugar muy animado, la Calle Bourbon está abierta toda la noche, todas las noches. Nueva Orleáns es la ciudad de la música de Norteamérica.

Por último, está el Carnaval de Nueva Orleáns, conocido como Mardi Gras. Para mucha gente, Nueva Orleáns significa carnaval. Es el evento cumbre del año, que comienza cada 6 de enero y continúa hasta el primer día de cuaresma.

Los desfiles son espectaculares. Miles de personas se aglomeran en los bordes de las calles para ver pasar las carrozas y también para disfrutar de las celebraciones. Cada desfile de carnaval está compuesto de 10 a 20 carrozas, precedidas por varias bandas tocando toda clase de música.

Las carrozas del carnaval se hacen en grandes almacenes, como puede ver aquí. Artistas y artesanos trabajan todo el año para diseñar y crear las figuras en papier maché y vidrio de fibras que encantan a la muchedumbre.

Se hacen toda clase de figuras en los almacenes. King Kong, Queen Kong y Baby Kong están entre las carrozas más dramáticas. Tienen 18 pies de alto.

They entertain passengers with the music of New Orleans and offer panoramic views of New Orleans and the surrounding area. This particular steamboat is the Natchez, signaling its return to port with loud bursts of its steam whistle and a special song of its own.

And then there's Bourbon Street. Its fame lies in its music, which can be heard in the music clubs which line both sides of the street. A lively place, Bourbon Street is open all night, every night. New Orleans is America's music city.

Last but not least, there's New Orleans Carnival, known as Mardi Gras. For many people, New Orleans means Carnival. It's the highlight of the year, which begins every Januray 6 and continues until the first day of Lent.

The parades are spectacular. People line the streets in the thousands to watch the floats go by as well as to enjoy the celebrations. Each Carnival parade is made up of 10 to 20 floats, preceded by a variety of bands providing music of all kinds.

The Carnival floats are made in large warehouses, as you can see here. Artists and artisans work year long to design and creat the paper mache and fiber glass figures which delight the crowds.

Figures of all kinds are made in the warehouses. King Kong, Queen Kong and Baby Kong are among the most dramatic floats. They are 18 feet high.

Las carrozas del carnaval bajan lentamente por la calle con sus comparsas alegremente disfrazadas y enmascaradas a bordo. Los que van a bordo de la carroza arrojan recuerdos a la gente aglomerada a lo largo de la ruta del desfile.

Todos quieren atrapar uno de los recuerdos. Algunos son más codiciados que otros. Los más valorados son los cocos dorados que Ud. ve repartir a este miembro de una comparsa.

Desde el primer carnaval en el año 1672, siempre ha habido un Rey del Carnaval. Rex, como se le llama, siempre llega con un gran estruendo de trompetas y ceremonial. Su corona simboliza su posición como Rey del Carnaval.

Mientras los fuegos artificiales iluminan el cielo de Nueva Orleans, terminemos nuestra visita por video a esta histórica ciudad, con una última mirada a Rex, Rey del Carnaval, y su carroza dorada, mientras la música sigue tocando.

The Carnival floats make their way slowly down the street with their crew of brightly costumed maskers on board. The float riders toss souvenirs, called throws into the crowds lining the parade routes.

Everyone wants to catch one of the souvenirs. Some are more prized than others. The most prized are the gilded coconuts you see being handed out by this carnival crew member.

Since the first Carnival in 1672, there has always been a King of Carnival. Rex, as he is called, arrives to a great fanfare of music and ceremony. His crown symbolizes his position as the ruler of Carnival.

As the fireworks light up the sky of New Orleans, let's end our video visit to this historic city, with a final look at Rex, King of Carnival, and his golden float, as the music plays on.

Aprendamos Cantando
America, The Beautiful

Letra
**Katherine
Lee Bates**

Música
Samuel A. Ward

*La música
y letra de las
canciones se
encuentran
en los videos.
Localice la
sección en su
video titulada
"Aprendamos
Cantando".*

Bienvenido a **Aprendamos Cantando**, la sección de Inglés Sin Barreras en que tiene la oportunidad de aprender el inglés de la vida diaria escuchando y cantando conocidas canciones en inglés.

Toda persona que viva o frecuente los Estados Unidos estará muy familiarizada con **America, The Beautiful**. Con excepción del himno nacional, es la canción patriótica más cantada en todo el país. ¡No hay niño norteamericano que no se la sepa!

Al estudiar la letra de esta canción, no se confunda con construcciones arcaicas:
- **Thy** (vuestro) y **thine** (vuestros) son formas anticuadas de decir **your** (tus, sus) y **yours** (tuyos, suyos).
- **Thee** es una forma anticuada de decir **you** (tú).

De igual forma, no se desoriente al ver la expresión "O". Es una exclamación que ya hemos visto en canciones anteriores, pero escrita en su forma usual: **"Oh"**.

'Til es la forma abreviada de **until** (hasta que).
¡Ojo!
La palabra **till,** con la que ya nos hemos encontrado en canciones anteriores, no es una contracción y significa lo mismo: "hasta que".

Esta canción tiene una gran riqueza de vocabulario. Consulte la traducción en su manual o un diccionario para averiguar el sentido de las palabras que no entiende.

Una vez que haya aprendido a cantar **America, The Beautiful**, se sentirá realmente parte de la cultura estadounidense.

O beautiful for spacious skies

From sea to shining sea.

América, La Hermosa

¡Oh, hermosa por cielos espaciosos
Por olas doradas de granos
Por majestuosas montañas color púrpura
Sobre la llanura llena de frutos!

¡América! ¡América!
Que Dios derrame Su gracia sobre ti
Y corone tu bondad con hermandad
De océano a océano radiante.

¡Oh, hermosa por los pies de los peregrinos
Cuyos austeros y apasionados pasos
Un camino
abrieron para la libertad a través del desierto!

¡América! ¡América!
Que Dios repare todos tus defectos
Que confirme tu espíritu de auto control
Y tu libertad en la ley.

¡Oh, hermosa por los héroes que demostraron
En la lucha liberadora
Que más que a ellos mismos, amaron a su patria
Y la compasión más que a la vida!

America, The Beautiful

O beautiful for spacious skies
For amber waves of grain
For purple mountains majesties
Above the fruited plain!

America! America!
God shed His grace on thee
And crown thy good with brotherhood
From sea to shining sea.

O beautiful for pilgrim feet
Whose stern, impassioned stress
A thoroughfare
for freedom beat across the wilderness!

America! America!
God mend thine every flaw
Confirm thy soul in self control
Thy liberty in law.

O beautiful for heroes proved
In liberating strife
Who more than self their country loved
And mercy more than life!

From sea to shining sea.

America! America!

¡América! ¡América!
Que Dios refine tu oro
Hasta que todos tus triunfos sean nobles
Y todo logro divino.

¡Oh, hermosa por el sueño patriota
Que ve más allá de los años
Tus ciudades de alabastro brillan
Sin empañarse con lágrimas humanas!

¡América! ¡América!
Que Dios derrame Su gracia en ti
Y corone tu bondad con hermandad
De océano a océano radiante.

America! America!
May God thy gold refine
'Til all success be nobleness
And every gain divine.

O beautiful for patriot dream
that sees beyond the years
Thine alabaster cities gleam
Undimmed by human tears!

America! America!
God shed His grace on thee
And crown thy good with brotherhood
From sea to shining sea.